Ce livre appartient

à ....

Walt Disney

LES TROIS CANARDS ET LE RENARD

Trois canards vont se dandinant le long du petit bois pour aller barboter dans la mare. Le renard vient rôder par là. Caché derrière un arbre, il guette les canards. Mais Cancanou, le plus petit, le plus hardi des trois, l'aperçoit et lui crie :

« Renard, je t'ai vu, montre-toi ! Que cherches-tu, des fraises des bois ?

– Je mangerais plus volontiers trois canards bien dodus ! » répond le renard.

Cancanou se met à rire :

« Bien dodus, nous ? Nous sommes maigres comme des clous ! Mais j'ai une autre idée : à la ferme, il y a des œufs d'oie plus gros que moi. Demain, je t'en apporterai. »

Le renard a l’air assez content :
« D’accord, dit-il. Mais si tu t’es moqué de moi, je vous croquerai tous les trois ! »
Et les trois canards s’en vont tranquillement barboter dans la mare avec leur bouée crocodile. Les deux frères protestent :
« Cancanou, es-tu devenu fou ? Ne sais-tu pas qu’un renard est toujours plus malin qu’un petit canard ?
– Nous verrons ! Nous verrons », dit Cancanou.
Le lendemain, les trois canards se dandinent le long du petit bois pour aller barboter dans la mare. Caché derrière un arbre, le renard guette les canards.

Mais Cancanou, le plus petit, le plus hardi des trois, l'aperçoit et lui crie :
« Renard, je t'ai vu, montre-toi ! Je n'ai pas les œufs d'oie car la fermière en a fait un gâteau. Demain, je t'en apporterai un morceau ! »
Le renard, pas très content, répond :
« D'accord... mais si tu t'es moqué de moi, je vous croquerai tous les trois ! »
Et les canards s'en vont barboter dans la mare.
Les deux frères sont affolés :
« Cancanou, es-tu fou ? Un renard sera toujours plus malin qu'un petit canard.
– Nous verrons ! » dit Cancanou.

Le lendemain, les trois canards se dandinent le long du petit bois pour aller barboter dans la mare. Caché derrière un arbre, le renard les attend. Mais Cancanou, le plus petit, le plus hardi des trois, lui annonce :
« Je n'ai ni gâteau ni œufs, mais j'ai mieux. »
Le renard, très énervé, le secoue un peu.
Cancanou lui dit :
« Dès la tombée de la nuit, entre dans le poulailler ; je t'attendrai derrière la porte. Il te suffira de gratter trois fois. »

Et les canards s'en vont tranquillement barboter dans la mare.
« Es-tu fou ? lui disent ses deux frères, très en colère, et se cachant sous des feuilles de nénuphar. Ne sais-tu pas qu'un renard est toujours plus malin qu'un petit canard ? »
Cancanou éclate de rire et se moque d'eux.
« Nous verrons ! Nous verrons ! » répond-il.

Le soir venu, lorsque le renard gratte trois fois à la porte, Cancanou lui dit:
« Pas un bruit! Le poulailler est endormi! »
Mais bien évidemment, toutes les volailles prévenues n'ont pas encore fermé l'œil, et elles attendent le renard du haut de leurs perchoirs.
Lui, il avance doucement dans le noir en pensant au bon repas qu'il va faire.
Soudain, les poulets, les oies, les pintades et même le coq se mettent tous ensemble à s'agiter et à crier si fort que le renard, tout surpris, a une frousse terrible.

Il fait demi-tour, sort comme une flèche et disparaît dans la nuit.
Alors Cancanou, le plus petit, le plus hardi des trois canards, dit à ses frères :
« Avez-vous vu pourquoi un renard n'est pas toujours plus malin qu'un petit canard ? »
Depuis ce jour, personne n'a plus revu le renard. On dit qu'il court encore...

Vous pouvez retrouver d'autres histoires de « Winnie raconte » chaque mois dans le magazine WINNIE

Cette histoire de Françoise Bobe est illustrée par Yves Lequesne.

Imprimé en France par I.M.E.
Dépôt légal n° 4504 - Mai 1996 - 46.39.1256.02/0
ISBN 2.23.000609.6. Loi n° 49-956 du 16 juillet 1949
sur les publications destinées à la jeunesse.